Dora va à l'école

D'après la série télévisée réalisée par Eric Weiner
Adaptation : Leslie Valdes
Illustration : Robert Roper
Adaptation française : Lise Boëll, Marie-Céline Moulhiac et Luc Doligez

Albin Michel

Dans cette aventure, tu vas découvrir 10 mots anglais !

FRANÇAIS	ANGLAIS	PRONONCIATION
Salut	hello	héllo
aujourd'hui	today	tou-dai
école	school	scoule
maîtresse	teacher	ti-tcheure
se dépêcher	to hurry up	tou heuri eupe
oui	yes	iesse
car	bus	beuss
allons-y	let's go	lait-ss go
bleu	blue	blou
bonjour	good morning	goude mor-nine

D'après la série télévisée Dora l'Exploratrice

Publication originale Simon Spotlight / USA 2003, imprimé par Simon & Schuster Childrens Division, New York.

Traduction française:
© Éditions Albin Michel, S.A., 2009 / Philippe Mestiri
Éditions Albin Michel
22, rue Huyghens, 75 014 Paris
www.albin-michel.fr
ISBN français 978-2-226-15938-0
Achevé d'imprimer en Italie
Dépôt légal : septembre 2006

Hello ! Je m'appelle Dora et voici mon meilleur ami Babouche.
Aujourd'hui, nous allons à l'école ! *Today, we go to school.*
Regarde, voici *teacher* Béatrice qui se rend elle aussi à l'école !

Teacher Béatrice doit arriver à l'école avant ses élèves mais son vélo a un pneu crevé !
Nous devons l'aider le plus vite possible.

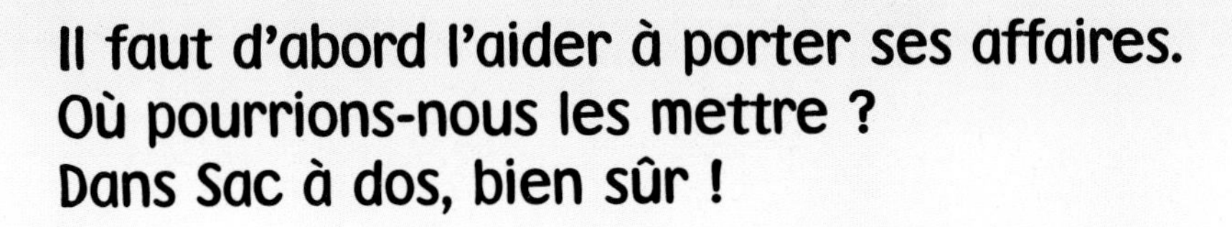

Il faut d'abord l'aider à porter ses affaires.
Où pourrions-nous les mettre ?
Dans Sac à dos, bien sûr !

En route pour l'école ! À qui faisons-nous appel lorsque nous ne savons pas quel chemin prendre ? À la Carte, bien sûr !

La Carte nous dit de nous rendre à la ville Alphabet, puis de passer par la Montagne aux Chiffres et enfin de traverser la forêt.
Oh, oh ! J'entends la première sonnerie de l'école. Il faut absolument arriver avant la troisième sonnerie.
Dépêchons-nous ! *Hurry up !*

Vois-tu comment aller rapidement à la ville Alphabet ?
Yes, c'est *the Bus* qui va nous emmener jusqu'à la ville.
Let's go !

Pour traverser la ville, nous devons suivre l'ordre de l'alphabet tout au long des rues. Chante l'alphabet avec moi !

R S T U V W X Y Z
P L
E O D
N W
M
E W Q B C
L
F K
Z G H I J O F

J'entends la deuxième sonnerie de l'école.
Dépêchons-nous ! *Hurry up !*
Nous devons maintenant passer par la Montagne aux Chiffres. La vois-tu ?

Ça y est, nous sommes arrivés au pied de la Montagne aux Chiffres ! Comment pouvons-nous la franchir ? Grâce à notre ami *Blue* le train ! *Yes !*

1
5
7
8
3

Pour monter au sommet de la Montagne aux Chiffres,
nous devons compter.
Compte avec moi : 1, 2, 3, 4, 5, 6, 7, 8, 9, 10.
Bravo !

Maintenant, pour descendre comptons à l'envers :
10, 9, 8, 7, 6, 5, 4, 3, 2, 1.
Bravo ! C'est gagné ! Nous avons passé la Montagne aux Chiffres.

Je vois l'école. Pour y arriver, il nous reste encore à traverser la forêt.
Voici mon cousin Diego. Il dit que les condors peuvent
nous emmener au-dessus de la forêt.

Peux-tu nous aider à appeler les condors pour nous conduire le plus vite possible à l'école ?
Tu dois dire « Kouac, kouac ! ». Dis-le plus fort !

Bien joué !
Maintenant, montons sur les condors et volons vers l'école.
Accroche-toi bien ! Ouah !

Ça y est, nous sommes arrivés à l'école !
Courons vite à l'intérieur pour préparer la classe avant l'arrivée des autres élèves.

Veux-tu regarder dans Sac à dos pour y retrouver les affaires de *teacher* Béatrice ? Bravo, tu as réussi !

1 2 3
A B C

Attention, j'entends Chipeur. Ce sournois de renard va essayer de chiper les affaires de *teacher* Béatrice ! Nous devons dire « Chipeur, arrête de chiper ! ».
Dis-le avec moi : « Chipeur, arrête de chiper ! ».

Merci de nous avoir aidés à repousser Chipeur !
Regarde, les autres élèves arrivent. *Teacher* Béatrice les accueille : « Bonjour les enfants ! ».
« *Good morning !* » répondent les élèves.
J'entends la troisième sonnerie de l'école !
Sans toi, nous ne serions jamais arrivés à l'heure à l'école.
Merci de ton aide.